Titre original: "Frog and a Very Special Day",
*Andersen Press*, Londres, 2000.
Texte français de Claude Lager

Loi N° 49 956 du 16 juillet 1949,
sur les publications destinées à la jeunesse:
septembre 2000.
Dépôt légal: septembre 2000

Imprimé en Italie par *Grafiche AZ*, Vérone

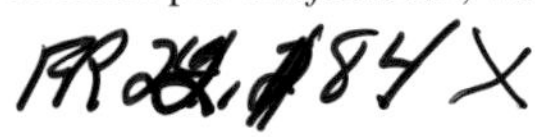

# Un jour spécial
# pour Petit-Bond

Max Velthuijs

PASTEL
*l'école des loisirs*

Petit-Bond déjeune. Il est tout excité.
Aujourd'hui, c'est un jour spécial. Le Lièvre l'a dit.
Mais pourquoi aujourd'hui serait-t-il si spécial ?
Petit-Bond l'ignore.

D'abord, qu'est-ce que ça veut dire «spécial» ?
Petit-Bond réfléchit.
Ca veut sûrement dire «extraordinaire».

Petit-Bond sort. Le soleil brille. Le ciel est sans nuages.
Il fait beau et chaud. Mais cela n'a rien de spécial.
Il faisait déjà beau et chaud hier, avant-hier et avant avant-hier.
Petit-Bond décide d'interroger Blanche la Cane.

«Blanche, c'est quoi comme jour aujourd'hui ?»
«Voyons voyons», dit Blanche. «Aujourd'hui, c'est vendredi. Non, attends, c'est mercredi… ou plutôt mardi.»
«C'est un jour spécial ?» demande Petit-Bond.
«Non, pas du tout.»

«Stupide cane !» se dit Petit-Bond.
«Elle ne sait rien. Peut-être Cochonnet m'en dira-t-il plus.
Cochonnet est toujours au courant de tout.»

«Cochonnet, est-ce un jour spécial aujourd'hui ?»
«C'est le jour de la lessive», répond Cochonnet.
«Je lave mes draps de lit et mes vêtements.
Veux-tu que je lave ton maillot en même temps ?»
«Non, merci. Mais dis-moi, Cochonnet, y a-t-il
quelque chose d'extraordinaire aujourd'hui ?»

«Pas que je sache", dit Cochonnet.
Petit-Bond s'en va en grommelant.
«Un jour *spécial* ?», se dit-il.
«Je ne vois pas ce qu'il y a de spécial.
Qu'est-ce que le Lièvre voulait dire ?»

Juste à ce moment-là, le Rat arrive, son sac à dos plein de commissions. «Dis-moi, demande Petit-Bond, est-ce un jour spécial aujourd'hui ?»
«Chaque jour est spécial. Regarde autour de toi comme le monde est beau. La vie entière est spéciale.»

Petit-Bond s'énerve: «Mais le Lièvre m'a dit
qu'aujourd'hui était un jour spécial.
Un jour *TRÈS spécial* ! Différent de tous les autres.»
«Je ne sais pas», dit calmement le Rat.
«Pour moi, chaque jour est spécial.»

«Le Lièvre s'est moqué de moi», se dit Petit-Bond.
«Quelle blague stupide ! Ce n'est pas du tout un jour spécial.
C'est un jour comme n'importe quel autre jour
et je ne l'aime pas !» Petit-Bond est en colère.
Il va chez le Lièvre pour dire ses quatre vérités à ce faux frère.

Mais le Lièvre n'est pas chez lui.
Un papier est cloué sur la porte.
On a écrit quelque chose à propos d'une fête.
Petit-Bond n'arrive pas bien à lire.

En larmes, Petit-Bond s’assied par terre.
«Le Lièvre est invité à une fête… Voilà de quoi il s’agit !
Et il ne m’a même pas proposé de l’accompagner.
C’est injuste !»

«Je me demande ce que c'est pour une fête ?
Il y aura sans doute des gâteaux, de la limonade
et des drapeaux partout…»

Petit-Bond imagine les drapeaux :
des jaunes, des rouges, des bleus…
On va sûrement chanter et danser…
Oh ! Comme il aimerait être invité !

Petit-Bond retourne chez lui en sanglotant.
Il est tout étonné de voir un drapeau sur le toit de sa maison.
Qu'est-ce que cela signifie ?
Quelqu'un est entré chez lui ? Un cambrioleur peut-être ?

Lorsqu'il ouvre la porte, Petit-Bond
n'en croit pas ses yeux. La pièce est décorée
de drapeaux et de fleurs. Et sur la table,
il y a des gâteaux et de la limonade.

Tous ses amis sont là : Blanche la Cane,
le Lièvre, Cochonnet et le Rat.
«Joyeux anniversaire, joyeux anniversaire !»
chantent-ils en chœur.

Il y a des drapeaux partout:
des jaunes, des rouges, des bleus, des verts…
Exactement comme Petit-Bond l’avait imaginé.

«Je te souhaite un bon anniversaire, Petit-Bond», dit le Lièvre.
«C'est *mon* anniversaire ?» s'étonne Petit-Bond.
«J'avais complètement oublié…»
«Oui, mais pas nous !» dit le Lièvre.

La fête commence !
Le Rat joue “Et c’est un bon camarade” sur son violon.

Ensuite, ils mangent du gâteau, boivent de la limonade,
chantent et rient comme des fous jusque tard dans la soirée.

Lorsque chacun est rentré chez soi,
Petit-Bond va se coucher. Il est heureux.
«Le Lièvre avait raison:
c'était *vraiment* un jour très spécial.»